D1430702

À mots croisés

ISBN : 2-7459-1328-X

Bernard Friot

À mots croisés

MILAN POCHE

Pour Pacome,
Typhaine
et Léa

*Je n'ai pas envie
de tourner la page…*

Mots doux, sucrés, mots bonbons à sucer
                    [sur le bout de la langue
mots durs, cassants, blessants, mots lames à raser
                    [qu'on enfonce en plein cœur
grands mots, ronflants, gonflés, mots ballons
                        [qui s'en vont au vent
petits mots, de tous les jours, mots cailloux
                    [à semer sur mon chemin
mots comme ci et mots comme ça
mots d'ici et mots de là-bas
tout un tas de mots
à moi.

*J*e n'ai rien à dire
mais il faut bien parler
pour remplir l'espace
pour remplir la page
pour exister.
Je n'ai rien à dire
alors je vais recommencer :
je n'ai rien à dire
mais il faut bien parler
pour remplir l'espace
pour remplir la page
pour exister.

*J*e n'ai pas envie
de tourner la page
pas envie
d'aller au bout de la ligne.
J'ai trop peur
du point final.
J'ai trop peur
de la page blanche.

J'écoute ce qu'on me dit
j'écoute toujours ce qu'on me dit
j'écoute sans rien dire.
Ça leur fait plaisir.
J'écoute ce qu'on me dit
j'écoute toujours ce qu'on me dit
et n'en fais qu'à ma tête.

Il ne faut pas lire entre les lignes
car il se glisse
entre les lignes
des vérités
à ignorer
car il se glisse
entre les lignes
de grands mensonges
à rallonge.

C'est mon histoire
pas la tienne.
Tu n'as pas le droit d'y entrer
pas le droit d'y jouer
un rôle.
C'est mon histoire
je n'en ai qu'une
et trop peur de l'abîmer.

Ne rien effacer
pas un mot
pas un pas.
Ne rien raturer
pas un mot
pas un pas.
Laisser dire
mot à mot
pas à pas.

– Qui commence?

– Moi!

– Non, moi!

– Je…

– Je…

– Arrête de dire tout ce que je dis.

– Arrête de dire tout ce que je dis.

– Mais, c'est toi!

– Non, c'est toi!

– Écoute, on recommence depuis le début.

– Oui, les deux à la fois.

– Je…

(À deux voix cette fois.)

etc.

J'ai sur le bout de la langue
ce mot
qui me brise le cœur
et me fait mal au ventre
qui me serre la gorge
et me coupe les jambes
qui me brûle les yeux
et fait grincer des dents.
Je l'ai sur le bout de la langue
ce mot
et je m'en mords les doigts.

*P*oint, à la ligne
c'est ainsi et pas autrement
pas moyen d'aller plus loin
ni de revenir en arrière.

Point, à la ligne
coup de poing à l'estomac
ça ne se discute pas.

Très bien, ça va, j'ai compris
je ne dis plus rien
point, à la ligne

et cetera.

*J'ai envie de commencer
par la fin...*

On dit…
c'est fou tout ce qu'on dit.
On dit même
que c'est fou tout ce qu'on dit
ce qui prouve bien
que tout ce qu'on dit est fou.
Du moins
c'est ce qu'on dit.

On entend mieux
quand tout se tait.
Ni mot ni parole
et pourtant
on entend
et pourtant
on comprend.
Les yeux, les mains
le corps entier
parlent
avec le silence.

*T*u es tu pour moi
pour toi je suis tu aussi
alors tu, c'est toi et moi.
Pourtant
moi, c'est moi
et toi, c'est toi.
Ce tu entre toi et moi
je n'en veux pas.
Et puis
c'est ce qu'on m'a appris
toi et moi
ce n'est pas toi
ni moi ni lui
toi et moi
c'est nous
nous deux.

*T*ous les mots qu'on dit
que deviennent-ils
une fois qu'on les a dits?
Millions, milliards de mots
de bouche à oreille
sont-ils perdus
quand tout est dit?

*J*e parle pour ne rien dire
pour mettre quelque chose entre toi et moi
des mots
comme un pont
pour aller jusqu'à toi
sans bouger de chez moi
des mots
comme une corde
pour t'accrocher à moi.
Je parle pour ne rien dire
je jette entre toi et moi
une bouée
dans le silence
où je me noie.

*J*e te glisse à l'oreille
un mot et puis deux
un secret et puis deux
une question et puis deux.
Mais tu ne réponds pas
tu secoues la tête
et je comprends :
tu as les oreilles bouchées.

J'ai envie
de commencer par la fin
parce que
tout est bien qui finit bien.
Et puisque
c'est déjà fini
je ne dis plus
rien.

*T*u veux toujours avoir le mot de la fin
mais tu ne l'auras pas
je l'ai dans la poche
sur le bout de la langue
à la pointe du stylo
mais je ne le donnerai pas
je ne le dirai pas
je ne l'écrirai pas.
Je ne veux pas
que l'histoire se termine
entre toi et moi.

*P*our un oui
pour un non
je ne sais pas
peut-être oui
peut-être non
on verra
tu dis oui
tu dis non
et vice versa.

Tu n'a pas la parole
tu n'a pas voix au chapitre
tu n'a rien à dire
tu ne répond jamais rien
tu écoute seulement.

C'est toujours *je* qui parle
même quand ce n'est pas moi.

Je n'entends pas ce que tu dis…

Quand l'histoire sera finie
quand on aura tourné la page
que fera-t-on des mots qui restent?
Mots inutiles
mots vidés de sens
mots effacés, blessés
mots réduits au silence.
Quand l'histoire sera finie
quand on aura tourné la page
que fera-t-on des mots qui restent?

*S*ouvent
souvent n'est pas assez.
Seul *toujours* est rassurant
toujours ou *jamais*
ça dépend.

Ça dépend même énormément.

*U*n blanc dans la conversation
écran vide
film muet
Un ange passe
dit-on.
Je ne vois rien
ni ange ni démon.
Tu es là
en face de moi
très loin pourtant.
Entre toi et moi
il y a ce grand blanc
océan de silence.
Qui plongera le premier
pour le traverser?

*T*u tires la langue
elle est chargée de mots
mots noirs mots sales gros mots qui font mal
mots qui restent en travers de la gorge
sur le cœur et sur l'estomac…
Crache-les vomis-les jette-les-moi à la figure
je crierai moi aussi
mots noirs mots sales gros mots qui font mal
mots qui restent en travers de la gorge
sur le cœur et sur l'estomac…
Et puis ensemble
nous pleurerons
de rire.

*M*ots de tous les jours
bonjour
s'il vous plaît merci
usés vidés
à peine sonnent-ils
au revoir
s'il vous plaît merci
mots de tous les jours
petites pièces au fond du porte-monnaie
bonjour
au revoir
à demain.

*J*e n'entends pas ce que tu dis
j'entends ta voix qui le dit
je ferme les yeux et je sens
les mots vibrer sur ma peau.
Vidés de sens
réduits au son
les mots sont musique et mélodie
ils chantent autre chose que ce qu'ils disent
et ça fait mal
ou ça fait bien
et ça fait chaud
ou ça fait froid.
Les mots ne trompent pas
quand on n'écoute pas
ce qu'ils disent.

*A*ttention danger
réfléchis avant de parler.
Vitesse limitée
les mots ont dépassé ma pensée.
Virage dangereux
ne parle pas à tort et à travers.
Attention danger
tourne sept fois la langue avant de parler.

*T*u as le mot pour rire
moi je l'ai à pleurer
tu as ton mot à dire
je n'ai pas la parole
tu sais trouver les mots
et je cherche les miens.

L'un muet
l'autre qui parle
chacun a un rôle à jouer
mais
ça peut encore changer.

On dit
paraît-il
il semblerait
peut-être bien
ce n'est pas sûr
certainement
probablement

on verra bien.

Tourner la page
et tout recommencer
attendre la suite
repartir à zéro.

Tourner la page
vite
sans la déchirer.

J'aime les mots qui ont l'accent...

*A*utrement dit
aussitôt dit
vite dit
cela dit
proprement dit
lieu dit

je vous l'avais bien dit.

De jour en jour
de main en main
de proche en proche
de mieux en mieux
de temps en temps
les mots s'assemblent
de deux en deux.

Dos à dos
vis-à-vis
corps à corps
porte-à-porte
peu à peu
les mots vont
deux à deux.

Mentir
comme on respire
quand la vérité
n'est pas belle à dire
il faut bien la travestir
un peu.

Mentir
comme on respire
quand la vérité
n'est pas bonne à dire
il faut bien l'adoucir
un peu.

On joue
ping pong
avec les mots
je lance
touché !
tu pointes
coulé !
Les mots
comme des balles
et ça fait mal.

On joue
pif paf
avec les mots
je crie
blessé !
tu dis
tué !

*B*ouche à bouche
mots doux
comme des baisers
bonbons à sucer
du bout de la langue.

Bouche à oreille
mots fous
qui font frissonner
secrets chuchotés
au coin de nos lèvres.

Sauter un mot
ou l'écorcher
manger ses mots
les avaler
sans les mâcher
peser ses mots
et prendre au mot
faire un bon mot
jouer avec
et même sur les mots.
Quel méli-mélo
les mots.

*J*oyeux Noël et bonne année
mots de fête
mots enguirlandés
papier doré.
Bon anniversaire, bonne fête
mots lampions
mots enrubannés
gâteau fourré.
Et puis
on les range
dans une boîte en carton
tout en haut du placard
mots paillettes
confettis
serpentins.
On les ressortira
l'année prochaine
mots de fête
mots enguirlandés
papier doré
papier glacé.

J'aime les mots qui ont l'accent
accent aigu
accent grave
accent circonflexe
accent pointu
et puis ceux qui roulent les rrrr
ceux qui zozotent un peu
qui chuchotent, qui chuintent
ceux qui sifflent aux oreilles.
J'aime les mots qui chantent
j'aime les mots qui sentent…

*D*es mots pas rangés
mis bout à bout
sans rime ni raison :
c'est le désordre alphabétique.
Rangez-moi tout ça
à coups de dictionnaires
et d'encyclopédies
abécédé… euh… eff !
Je ne veux pas voir
une lettre qui dépasse
ni un accent défrisé.
L'un après l'autre
chaque mot à sa place
pas de discussion
et point final !

De toi à moi
de moi à toi
c'est un chemin plein d'ombres et de détours
un labyrinthe
où l'amour peut se perdre.
Mais j'ai semé derrière moi
les mots qu'un jour tu m'as appris
et quand je m'éloigne
quand tu me chasses
je sais revenir jusqu'à toi.
J'avance
mot à mot
sur le chemin
que tu as tracé
et je recompose
mot à mot
notre secret.

J'écoute aux portes…

Mot de passe
code d'accès
mon secret est bien gardé.
Bouche cousue
lèvres serrées
mon cœur est cadenassé.
Je ne dirai rien
rien de rien
et c'est là mon secret :
je n'ai rien à dire.

*A*ttention
le bruit court
et les murs ont des oreilles.
Derrière mon dos
ça chuchote, ça complote
ça papote et ça radote.
J'écoute aux portes :
ça murmure, ça susurre
et je vous assure
les gens ont la dent dure !

Zip clac badaboum
j'aime le bruit que font les mots
chut psitt crac aïe
j'aime les mots qui font du bruit.

Cha-cha-cha patapouf et fracas
j'aime le bruit des mots
plouf gong cui-cui
j'aime les mots de bruits.

*I*l y a cent
il y a mille
façons de dire non.
Comme ça :

!!! NON !!!

mais aussi comme ça : nn… non

Il y a des non grognons, bougons
et d'autres tout nets et bien ronds
des non furieux, hargneux
et d'autres un peu honteux
des non coupants, tranchants
et d'autres… euh… hésitants.
Il y a cent
il y a mille
façons de dire non.

Il y a aussi
cent
mille
façons de dire oui :

oui *oui*

OUI

oui

oui

*D*ans la foule
des bouches ouvertes
et des flots
de mots
des tas
de paroles
des voix
emmêlées
embrouillées.
Dans la foule
j'écoute
et je n'entends rien.
Brouillard de mots
pluie de paroles
tout ce bruit
pour rien.

e
le
len
ilen
ilenc
silenc
silence
faire silence
saisir au vol
les mots dans l'espace
et puis
peu à peu
les effacer
ne laisser que
le silence
dont ils sont faits
oui, le silence
silenc
ilenc
ilen
len
le
e

*U*ne bulle
deux bulles
trois bulles de savon.
Dans chaque bulle
je glisse
un mot.
Les bulles s'envolent
et montent jusqu'au plafond.
Les bulles éclatent
restent les mots.
Ouvre la main
attrape-les
ils sont pour toi.
Et maintenant
mets-les dans l'ordre.
Voilà.
Tu me regardes, tu souris.
Et je sais : tu as compris.

Un si long silence

un blanc dans la conversation.

(Encore.)

Tu dis : « Un ange passe. »

Je n'entends même pas

le bruit de ses ailes.

*E*t cetera

tout ce qu'on ne dit pas

Et cetera

la suite tu ne sauras pas

Et cetera

et patati et patata

Et cetera

ça ne te regarde pas

Et cetera

devine qui pourra

Et cetera.

Dis-le
oh dis-le-moi
dis-le-moi encore une fois
mais dis-le tout bas
rien que pour moi.

Dis-le
oh dis-le-moi
dis-le-moi encore une fois
je ne m'en lasse pas
puisque c'est toi
qui le dis.

Oh dis-le-moi
dis-le-moi encore une fois.

Oh dis-le-moi
dis-le-moi encore une fois…

TABLE DES MATIÈRES

Achevé d'imprimer en France par France-Quercy, à Cahors
Dépôt légal : 3e trimestre 2004
N° d'impression : 41956A